图书在版编目（CIP）数据

刘兴诗爷爷讲星空. 春 / 刘兴诗文；一叶一画绘
. -- 北京 ：中国致公出版社，2020
　　ISBN 978-7-5145-1543-5

　　Ⅰ．①刘… Ⅱ．①刘… ②一… Ⅲ．①天文学—儿童
读物 Ⅳ．①P1-49

中国版本图书馆CIP数据核字(2019)第236451号

刘兴诗爷爷讲星空. 春 / 刘兴诗文；一叶一画绘.

出　　版	中国致公出版社	
	（北京市朝阳区八里庄西里100号住邦2000大厦1号楼西区21层）	
出　　品	湖北知音动漫有限公司	
	（武汉市东湖路179号）	
发　　行	中国致公出版社（010-66121708）	
图书策划	李　潇　周寅庆　李　爽	
责任编辑	周寅庆　章　慧	
装帧设计	李艺菲	
印　　刷	武汉市金港彩印有限公司	
版　　次	2020年7月第1版	
印　　次	2020年7月第1次印刷	
开　　本	787mm×1092mm　1/12	
印　　张	4	
字　　数	60千字	
书　　号	ISBN 978-7-5145-1543-5	
定　　价	45.00元	

刘兴诗爷爷讲星空

刘兴诗 文
一叶一画 绘

春

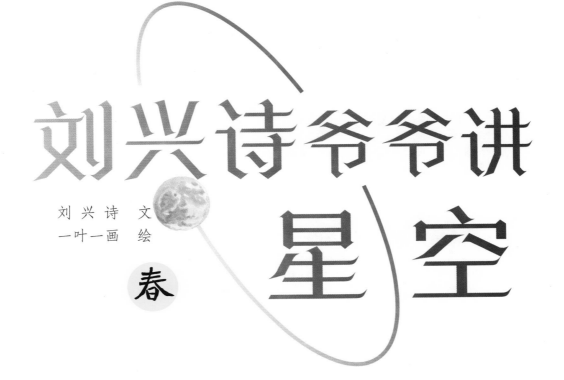

中国致公出版社

仰望星空

刘兴诗

　　星空，多么神秘、多么遥远。一颗颗亮晶晶的星星，好像远方的精灵，一闪一烁，诱引着孩子们的心。世界上没有一个孩子不喜欢天上的星星，不想知道星星的秘密。

　　奶奶讲的牛郎织女的故事是真的吗？银河是不是一条河，里面有水吗？古诗和民间传说里提到的许多星空神话，到底是怎么一回事？

　　一个个星空的问题，把孩子们的心儿搔得痒痒的，得好好给他们讲一下星空的知识才好。

　　请记住，这是孩子们的需要，也是一个崭新时代的要求。我们正面临的，是一个大宇宙的时代。需要许许多多未来的哥伦布，去认识和发现宇宙空间的新大陆。不言而喻，在这样的时代来临时，天文学的基本知识多么重要。

　　学习天文学从哪里起步？先从咱们头顶的星空开始吧。

　　满天星斗密密麻麻的，怎么认识清楚呢？有办法！我们的老祖宗早就把天上的恒星划分为三垣、四象、二十八宿，这样就容易认识了。三垣就是北方天空中的紫微垣、太微垣和天市垣。四象、二十八宿是这么划分的：

　　东方苍龙包括角、亢、氐、房、心、尾、箕，七个宿。

　　南方朱雀包括井、鬼、柳、星、张、翼、轸，七个宿。

西方白虎包括奎、娄、胃、昴、毕、觜、参，七个宿。

北方玄武包括斗、牛、女、虚、危、室、壁，七个宿。

西方的观星方法则是划分许许多多的星座。其中北天拱极星座5个，北天星座19个，黄道星座12个，赤道带星座10个，南天星座42个。每一个星座都有自己的故事。

听说过斗转星移这句话吗？尽管天上的恒星位置没有变化，可是由于我们的地球在咕噜噜转动，随着时间变化，看见的天上的星星不一样。

我们在这儿介绍的每月星空，一般是每个月开始的1日晚上9点，15日晚上8点，30日傍晚7点钟左右，出现在头顶的星空图景。

手里拿着一张星图，怎么看？请你按照上面所说的规定时间，把星图倒拿在头顶，图上的方向和真实的方向一个样。这时候，就可以用星图对比天上的星星，一个个找出来了。如果早一个小时，就把头顶倒拿的星图，顺时针方向移动15度就成啦。如果晚一个小时，就把星图逆时针方向移动15度。

书中的四季是怎么划分的呀？本书中的四季是以我国传统的二十四节气为标准划分，立春、立夏、立秋、立冬分别为四季之首。

但你会疑惑，2月立春了，可是为什么有的地方还在下雪呀？8月秋天来了，为什么有的地方还这么热呢？这是由于我国地域太辽阔了，各地气候不一，按照"四立"划分的四季与实际气候并不完全符合的缘故。

书中还有许多许多秘密，请你翻开这四本书，一页页看下去吧。

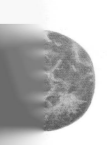

目录
contents

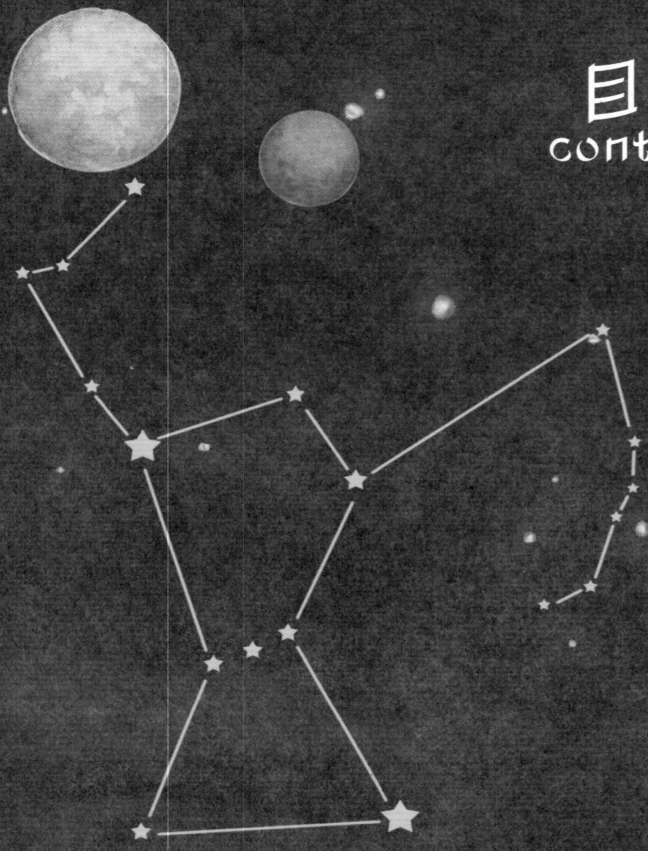

2 月星空的猎户座　1

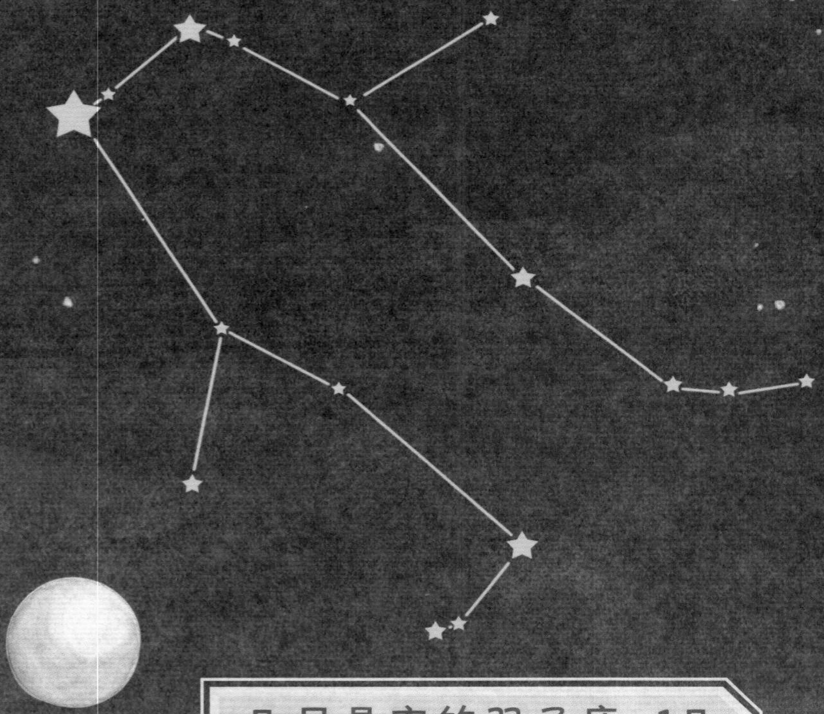

3 月星空的双子座　13

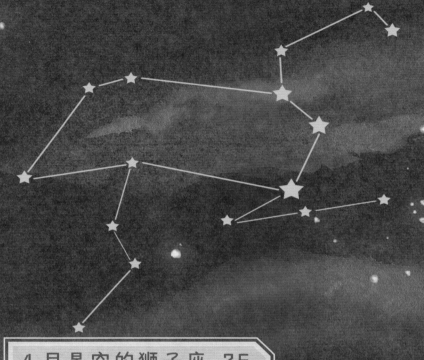

扫码免费得 8 节星空小课!

4 月星空的狮子座 25

了解星星和星座 36
漫游银河系 38
漫游太阳系 40
做一个"太阳系" 42

第一课
漫游宇宙指南

第二课
我们来观星

第三课
寻找北斗七星

第四课
星座不止十二

第五课
星座背后的故事

第六课
星星的秘密

第七课
神奇的天体

第八课
人类漫漫通天路

2 月星空的
猎户座

　　猎户座，赤道带星座之一。猎户座主体由"参宿四""参宿五""参宿六"和"参宿七"这4颗亮星组成一个大四边形，面积为594平方度，猎户座的面积大小居全天88星座中第26位。

　　2 月的夜晚，春寒料峭，立春要到了，万物开始从冬眠中苏醒过来。看！夜空中有一个猎人出没，昭示着春天悄悄开始了。

古希腊人说，这是猎户座。

你看这个威风凛凛的猎人，有着魁梧的身躯，他高高地昂着头颅，占据了好大一片夜空。

他一只手挥舞着棍棒，另一只手举起盾牌，腰带上还别着一把短刀，雄赳赳、气昂昂，迎着气势汹汹冲过来的金牛，摆出一副决斗的架势。

猎户座，真的像是一个勇敢的空中猎人。

猎户座里大探秘

参宿四

　　猎户座里有几颗著名的星星。这个天空猎人的右肩上，有一颗明亮的星星，我们叫它参宿四。这是一颗红色的超巨星，很大，也很亮。如果把它放在太阳的位置，那么它的体积会吞没小行星带，席卷水星、金星、地球和火星。

参宿四

猎户座腰带

参宿七

南河三

冬季大三角

参宿四

天狼星

冬季大三角

　　参宿四和大犬座的天狼星、小犬座的南河三，共同组成星空中巨大的"冬季大三角"。

参宿七

参宿七

　　猎户座里，还有一个参宿七也很了不起。这是一颗蓝色的超巨星，虽然它距离我们很远很远，但是它比太阳还要亮。

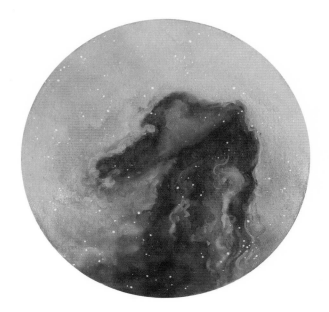

马头星云

1888 年，哈佛大学天文台的佛来明在猎户座里发现了一团模模糊糊的东西，好像空中的一个马脑袋，人们给它取名为马头星云。

马头星云是一团浓密的尘埃云，里面有许多刚刚诞生的年轻的恒星。

火焰星云

火焰星云也是猎户座中非常著名的星云，像一团熊熊燃烧的火焰。为什么它看起来如此明亮？原来是参宿一向火焰星云照射了高能恒星光，将驻足在巨大星云内的氢气激发，电离出电子，电子和被电离了的氢原子重新结合，就产生了我们所看到的辉光。

观星小指南

冬末春初，虽然天空中的星星众多，但我们跟着猎人的金腰带就能找到猎户座了，排成一线的腰带的三颗星在天空中清晰可见，再从南到北仔细看看，猎人魁梧的身躯就显现出来啦！

古代的猎户座

西方白虎

茫茫星空中繁星万点，认识起来很不容易。中国古代把恒星分为二十八宿，从角宿开始，自西向东排列；又分为四象，每一象是一个动物的形象，每个动物由七个星宿组成。在中国古代天文学中，猎户座中的腰带三星属于西方白虎七宿中的参宿。

古代人认为，猎户座腰带上的三颗星星属于参星，天蝎座身体上的三颗星星属于商星。猎户座和天蝎座此升彼落，参星和商星也因此永不相见。

唐代诗人杜甫的《赠卫八处士》里说"人生不相见，动如参与商"，诗人借参商两星不相见表达人生别离不易相见。

中国神话中，参商两星是高辛氏结仇的两兄弟；西方神话中，商宿是天后赫拉派去咬猎人的天蝎座。

猎户座与节气

猎户座到来的时候，是孟春时节，包括太阳运行到黄经315度和黄经330度时的两个节气，即二十四节气中的立春和雨水。孟春是春季的第一个月，被称为正月。

立春，冰雪消融，草木萌生，一切生机勃勃，欣欣向荣。

雨水，东风解冻，散而为雨，大地春暖花开。

古代的参宿是猎户座腰带的三颗星。民间谚语说："三星正南，就要过年。"当人们看见高挂南天的猎户座的三颗星星时，就知道要过年了。

被误杀的猎人

在罗马神话中，海神尼普顿的儿子奥赖恩不喜欢泡在大海里，他时不时从海水里钻出来，带着他忠实的猎狗西立乌斯，走上陆地成为一个猎人。

后来，奥赖恩和月神狄安娜相爱了，狄安娜的哥哥太阳神阿波罗却不喜欢这个小伙子。

有一天，阿波罗和狄安娜从海上飞过，瞧见海里有一个小黑点儿，眼尖的阿波罗认出那是奥赖恩，于是对妹妹说："你的箭法很好，能不能射中水里的那个小黑点儿？"

狄安娜听罢，一箭射去，一下子就射死了自己的爱人。

奥赖恩死后，他的猎狗西立乌斯不吃不喝，悲伤地呜咽，最后也死了。天帝宙斯就把他们变成了天空中的猎户座和大犬座。

宙斯知道奥赖恩喜欢打猎，在他的脚边放了一个小小的天兔座，让他在天上追赶活蹦乱跳的小兔子。

星星小知识

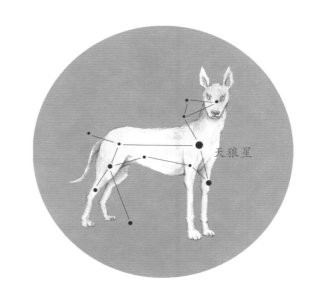

天狼星

猎户座这个天空猎人后面，跟着一只猎狗，他们一起和金牛决斗。这只猎狗就是大犬座。

大犬座中有冬季夜空中最亮的天狼星。大犬座的尾部分布着弧矢一、弧矢二、弧矢七、弧矢八，它们和属于船尾座的弧矢三、弧矢四、弧矢五、弧矢六、弧矢九构成了状如弓箭的弧矢。

在我国古代，天狼星是"主侵略之兆"的恶星。天狼星象征着侵犯边境的敌人，而弧矢这把弓箭正好可以威慑敌人。大文豪苏轼也写过"西北望，射天狼"的诗句，表达着自己想要征战沙场、杀敌报国的理想。

大犬座天狼星可有名气了！许多文明古国都曾流传着关于天狼星的传说。

在古希腊，当天狼星与太阳同时升起时，正值盛夏，酷暑难当，草木枯死，疾病蔓延，狗都热得直吐舌头。所以古希腊人把天狼星称为"狗星"，还认为这些夏天的灾难都由天狼星和太阳造成，在天狼星升起时要给神灵献祭。

对于古埃及人来说，当天狼星在黎明从东方地平线升起时，尼罗河将泛滥，洪水退后留下的肥沃土壤将带来新一年的富足。他们把天狼星视为神明，专门建造了祭祀天狼星的庙宇。

生活在非洲热带雨林的多冈人，说自己的祖先是从天狼星来的，在他们古老的神话传说中，竟然有许多关于天狼星的准确信息。

3月星空的双子座

　　双子座，黄道十二星座之一，面积 513.76 平方度，占全天面积的 1.245%，在全天 88 个星座中，双子座的面积排行第 30 位。

3 月的夜晚，星星点缀着辽阔的夜空。一对孪生兄弟在天空中守护着四方，带来了春天的消息。

古希腊人说，这是双子座。

在希腊神话里，这对兄弟是雷电之神的一对孪生子，是古代保佑航海安全的守护神，世世代代受到水手们的尊敬。这对孪生兄弟热爱冒险，踏遍了每一寸土地。在夜空中，我们还能看到双子座的兄弟俩拿着武器，野心勃勃地想要征服世界。

双子座里大探秘

北河二和北河三

北河二和北河三就是双子座中的双子，它们是双子座中最重要的星星。

北河二是六合星，即由六颗星组成的聚星。天文学家发现，这个六合星系统中的恒星都受到彼此引力的影响，它们的运行模式相当复杂。

北河二

从地球上观测，北河二是蓝色的。

北河三

北河三则是橙巨星，比北河二还要亮很多。

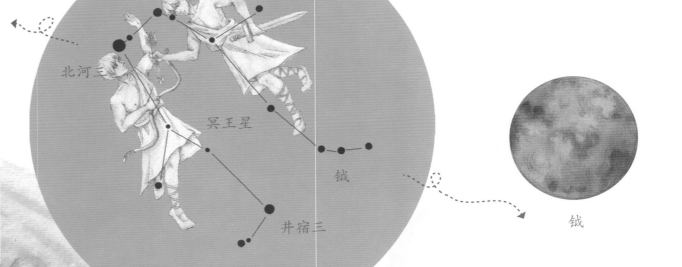

北河二

北河三

冥王星

钺

井宿三

钺

钺

双子座中还有一颗在中国古代被称为钺的星星，位于"孪生兄弟"其中一个的前脚，它是一颗红巨星。

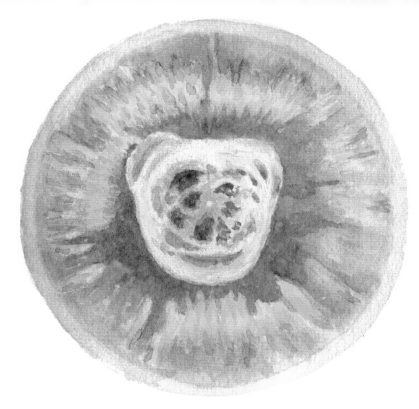

爱斯基摩星云

爱斯基摩星云

双子座有一个奇妙的爱斯基摩星云，这个星云像一个戴着爱斯基摩毛皮兜帽的人头。它的中间是一个垂死的星球，星球的周围有着高速运行的星球风，四周的物质被卷起，形成美丽的泡沫。

冥王星

新视野号

1930 年，年轻的天文学专家汤博在双子座内发现了冥王星，这一发现轰动世界。美国还发射了新视野号探测器飞往这颗矮行星。迄今为止，新视野号还在进行着探索太空的旅程。

新视野号探测器

观星小指南

跟着猎户座，沿着参宿七指向参宿四的方向，可以看到并排的两颗亮星，它们就是北河二和北河三，这两颗星分别为双子座里"孪生兄弟"的两个头。

古代的双子座

在中国古代的星宿里，南方朱雀是一只红色的大鸟，由井、鬼、柳、星、张、翼、轸这 7 个星宿组成。

南方朱雀七宿中的井宿属于现在的双子座，中国古代天文学中，井宿有八颗星，状如一口水井。

南方朱雀

传说，井宿起源于古邢国，邢国前身是商代井方氏。伯益的后代以井为氏，称井方氏。其后代逐渐发展壮大，建立了井方国，并最终演变成二十八宿之一。

南方朱雀来源已久，它象征着尊贵、祥瑞。朱雀曾经是古代东夷族图腾，这个部落由上古五帝之一的少昊统领。

井宿与中华文明息息相关。古人曾经为了水源沿河而居，忍受着洪水泛滥的威胁。但伯益发明了凿井技术，人民才能安稳地繁衍生息。

双子座与节气

　　双子座到来的时候，正是仲春时节。仲春包括太阳运行到黄经 345 度和黄经 0 度时的两个节气，即二十四节气中的惊蛰和春分。

　　惊蛰，天上的雷惊醒地下冬眠的动物，人们常说"春雷惊百虫"。

　　春分，气候温和，阳光明媚，越冬的农作物进入了返青生长阶段。

　　星星还指引着航海的方向。古人根据航海经验总结出，双子座里的北河三、狮子座里的轩辕十四、金牛座里的毕宿五、南鱼座里的北落师门、白羊座里的娄宿三、室女座里的角宿一、天蝎座里的心宿二、天鹰座里的河鼓二和飞马座里的室宿一组成了"航海九星"，这 9 颗星星指引着航行的方向。

同生共死的孪生兄弟

古希腊的斯巴达王妃勒达和天神宙斯有一对孪生子。其中一个叫波拉克斯，另一个叫卡斯特。他们从小就亲密无间。

这对兄弟长大后一起并肩作战，参加了各种冒险活动。但是后来，卡斯特在一次战斗中不幸牺牲了，波拉克斯非常悲伤，请求父亲宙斯用自己的生命赎回卡斯特的生命。

宙斯被他们的兄弟之情感动了，同意了他的请求，从此兄弟俩共享生命。宙斯为了褒扬他们，便将他们的躯体升上天空，成为万众瞩目的双子座。

星星小知识

天上的星星到底有多亮？

古希腊最伟大的天文学家喜帕恰斯把肉眼可见的星星按照明亮的程度分了 6 个等级。后来，人们发现 1 等星的亮度是 6 等星的 100 倍。

-26.7　　-13　　　-1.47　　0.76

后来人们还发现有比 1 等星更亮的星星，就把它们叫 0 等星。比 0 等星还亮的，只好再分出负等级了。这种根据肉眼看到的星体亮度来分类的方式叫做视星等。

想一想

用我们肉眼看到的亮度来比较，牛郎星是 0.76 等，恒星天狼星是 −1.47 等，满月是 −13 等，太阳是 −26.7 等，它们谁最亮呢？

我们用肉眼看到的亮度是星星的真实亮度吗？

如果一颗星星很亮，但离我们的地球很远，我们就觉得它不是很亮。而不怎么亮的星星，离我们很近，我们也会觉得它很亮。

就像一根摆在我们眼前的蜡烛，它也要比远处广场的路灯明亮。但是如果我们把蜡烛和路灯放在一起呢？那肯定是路灯更亮啊。

所以只有把所有星星放在同样的位置，再来比较谁更亮才公平合理。这种根据星星真实发光的程度而测得的亮度，叫做绝对星等。物体越亮，其绝对星等的数值越小。

想一想

按照自身的亮度来比较，牛郎星为 2.19 等，天狼星是 1.4 等，太阳是 4.8 等，它们谁最亮呢？

23

4月星空的狮子座

　　狮子座，黄道带星座之一，面积946.96平方度，占全天面积的2.296%，在全天88个星座中，狮子座的面积排行第12位。

4 月的夜空中， 跳出了一头大狮子，它有着威武的狮子头，强壮的心脏，前后迈开的四只脚。这头大狮子好像正在天空中悠闲地散步。

古希腊人说，这是狮子座。

　　再仔细看，威风八面的狮子头，又像弯弯的大镰刀，尽管收获的季节还没有到，天上就早早挂起了这把大镰刀，提醒着人们春天要好好耕种，准备迎接秋收的到来。

　　这是一头善良的狮子，有一颗悲悯万物苍生的心，人们世世代代仰望着它，它也陪伴着人们度过春天的最后一个月。

狮子座里大探秘

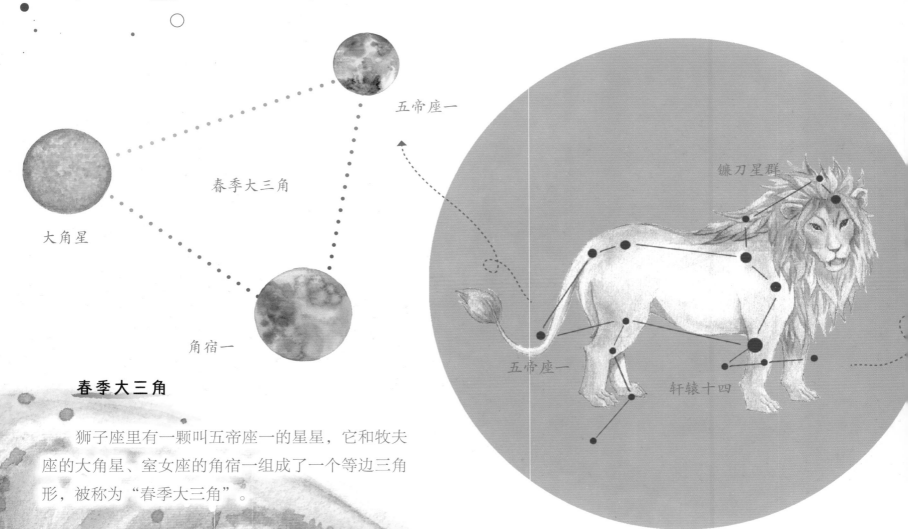

五帝座一

春季大三角

大角星

角宿一

镰刀星群

五帝座一

轩辕十四

春季大三角

狮子座里有一颗叫五帝座一的星星，它和牧夫座的大角星、室女座的角宿一组成了一个等边三角形，被称为"春季大三角"。

梅西耶66

观完五帝座一，再来看看梅西耶66，它是狮子座里面最壮丽的星系。这个星系的形状不对称，且核心有明显的偏移，很可能是临近星系的重力拉扯所造成的。

狮子座有梅西耶 95、96、66 等星系。

一个叫梅西耶的欧洲天文学家发现了这些星系，于是它们就以梅西耶命名了。

狮子座流星雨

狮子座流星雨非常有名，常常在夜空里一群一群地出现。曾经有人仔细计算，狮子座一小时内出现了 4860 颗流星。而几乎每隔 33 年，就会出现一次"狮子座流星暴雨"。

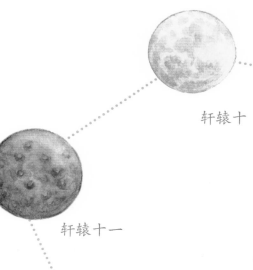

轩辕十

轩辕九

轩辕十一

镰刀星群

轩辕十二

轩辕十三

观星小指南

轩辕十四

狮子座里的轩辕十二是金橘色的双星，它和轩辕九、轩辕十、轩辕十一、轩辕十三等星星连成了一条镰刀形的弧线，被称为镰刀星群。

在镰刀的下方，有一颗狮子座里最亮的星，名叫轩辕十四，人们尊称它为"王子""小国王"。它距离我们 79.3 光年，发出蓝白色的星光。

古代的狮子座

轩辕十四是狮子座中最明亮的恒星。它所处的轩辕星群像一条龙在夜空蜿蜒盘旋着。轩辕是我们的祖先黄帝的名字。轩辕氏，也称轩辕皇帝。轩辕龙则象征着华夏民族。

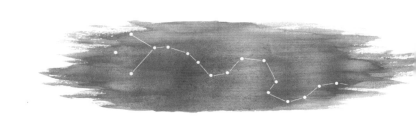

轩辕星群

在4000多年前的古埃及，每年仲夏时节太阳移到狮子座天区时，沙漠中有大量狮子聚集在尼罗河河谷喝水，狮子座因此得名。

在古代，人们最初见到流星的时候，会感到惊慌失措，后来才渐渐发现流星并不会对人间造成大面积的伤害，于是就认为流星坠落是有大人物死亡。最有名的就是诸葛亮去世的时候有巨星坠落，后来人们就把重要人物的死亡称为"巨星陨落"。

我国古代就有专门记录天文现象的职位，其中关于狮子座流星雨的记录有7次。五代时期就记录了狮子座流星雨极盛时的情景："九月丙戌，众星交流，丁亥，交流而陨。"

狮子座与节气

狮子座到来的时候，正是人间的季春时节。季春包括太阳运行到黄经 15 度和黄经 30 度时的两个节气，即二十四节气中的清明和谷雨。

谷雨是春季的最后一个节气。俗话说，雨生百谷，谷雨常常会迎来每年的第一场大雨。

清明，天气温暖，雨量增多。人们常常春游踏青，插柳戴柳，荡秋千、放风筝。

古人说春天的星象"参横斗转，狮子怒吼，银河回家，双角东守"。当狮子座升上天空的时候，银河沉在地平线下，人们就说银河回家了。而当夏季来临，银河又会从地平线上升起来。

刀枪不八的大狮子

希腊神话故事里，大英雄赫拉克勒斯遭人嫉妒，被要求必须完成 12 项"不可能完成"的冒险任务。其中第一个就是要杀死墨涅亚山谷里的一头大狮子。

这头巨狮全身皮肤十分坚硬，好像披着一身钢铁打造的铠甲，刀砍不开、枪戳不穿。

赫拉克勒斯带着棍棒和弓箭来到山谷，到处寻找着大狮子。在一个山洞前，这头巨大无比的狮子昂首走出。他一箭射去，箭反弹回来；一棒打去，木棒打断了。

　　赫拉克勒斯想尽了办法，最后骑在狮子的背上，用尽全身气力，把它活活掐死了。为了纪念这头狮子，天后赫拉便将它升到空中成为狮子座。

星星小知识

天上的星星离我们有多远？

大诗人李白曾经说："危楼高百尺，手可摘星辰。"

星星真的像诗里面所说的一样，登上高楼就能摘到吗？

原来并不是的。算起来，太阳是离我们最近的恒星，太阳光走到地球需要 8 分钟，走完 1.496 亿千米才能到。世界上速度最快的就是光，每秒钟约能走 30 万千米，一般的火车一秒约走 40 米。

星星离我们实在太过遥远，用千米算不清楚，所以我们有了光年。光年是光在宇宙中走一年的距离，这是一个固定的数值。光每秒约走 30 万千米，一年有 365 天，一天有 24 小时，一小时 3600 秒，算一算，1 光年是多少千米呢？

除了太阳，比邻星是距离地球最近的恒星，它的光走到地球要 4.22 光年。而狮子座里最亮的星星轩辕十四的光走到地球约要 79.3 光年。

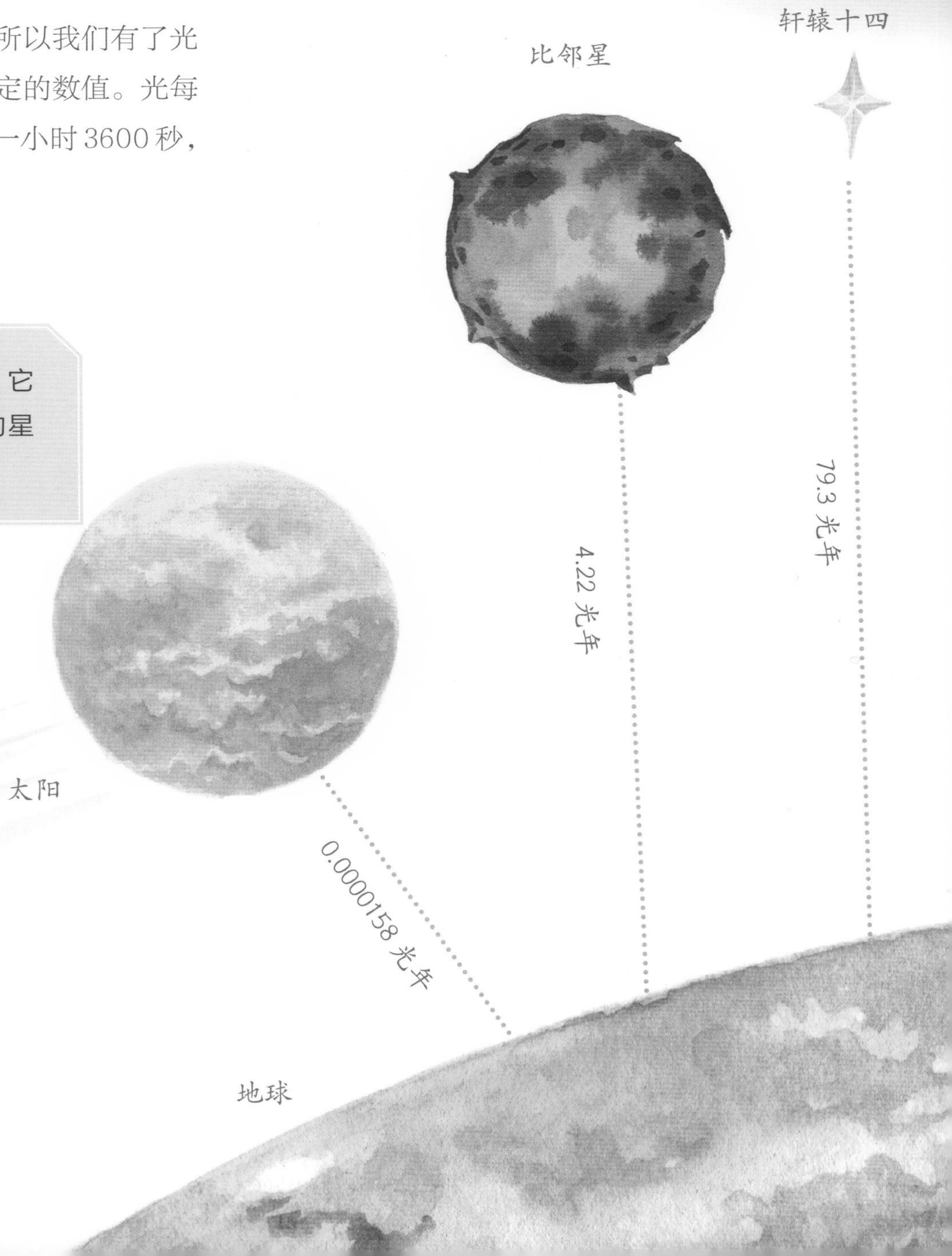

比邻星

轩辕十四

79.3 光年

4.22 光年

0.0000158 光年

太阳

地球

了解星星和星座

我们知道，宇宙中有很多的天体，人类根据天体的特征将它们分类：恒星、行星、彗星……

太阳是太阳系的中心，距离我们地球近，它是从地球上可以看到的最亮的恒星。我们的太阳系所在的银河系，还有很多恒星，它们距离地球很遥远，所以星光很微弱。

其实，星星白天也在天上，只是白天的太阳光很强，照得天空一片光明，星星就被掩盖住了光芒。

但是我们知道，地球并不是一动不动的，它一直在运动。地球也不是宇宙的中心，它只不过是宇宙中一颗微不足道的行星。星星因为距离我们很遥远，用肉眼观察，它们的位置几乎是没有变化的。而地球不仅自己旋转，还绕着太阳公转，地球的自转和公转形成了白天黑夜和一年四季。

在地球上仰望星空，看到每一颗星星都离人差不多远，像镶嵌在圆形天穹上的明珠。我们想象一下，天球是一个与地球同圆心、半径无限大的球，地球被包裹在天球的中间，虽然星星和地球的距离有近有远，但我们看到的都是它们在天球上的投影，这就解释得通了。

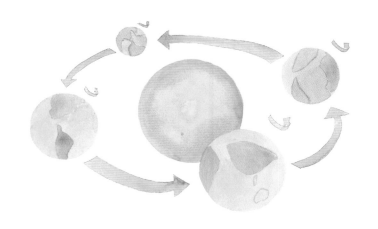

为什么在我们眼中，星辰东升西落，看起来就像在围绕着地球旋转呢？

　　其实，并不是星辰围绕地球旋转，而是地球绕自转轴自西向东自转。但我们在地球上，并不会感觉自己转动，因为在匀速运动中，人是依靠自己和其他物体的相对位置的改变来感知位置的。由于周围物体和我们一同随着地球转动，我们感觉不到位置变化，就认为地球没转，而是星辰在转啦！

　　由于地球是球体的特性，所以无论在地球上哪个位置，我们看到的都是半个天空。

　　为了更好地将星星分类，古代的天文学家将天球上的一些星星连线，把它们想象成动物或者物体，形成了星座，还给它们赋予了一些神话传说。早在古希腊时期就有了 48 个星座。1928 年，人们划分了 88 个星座，将天球上的每一块区域都分好类别，帮助人们更好地观星。

漫游银河系

银河系里大多数恒星集中在一个扁球状的空间范围内，扁球的形状好像铁饼。扁球体中间突出的部分叫"核球"，核球的中部叫"银核"。银河系的四周叫"银盘"，银盘外面有一个更大的球状区域，被称为"银晕"。

我们的太阳系位于银河系内。银河系是一个棒旋星系，包括大量的恒星、星团、星云以及各种类型的星际气体、星际尘埃和黑洞。很多年前，天文学家认为银河系是整个宇宙。现在，我们终于知道银河系只是宇宙中众多的星系之一。

从地球上看，银河是横跨星空的一条亮带，它被古人想象成是天上的河流，又被称为天河及天汉。光从银河系的一端穿越到另一端就需要约 10 万年的时间。相比之下，光从地球到达月球大约只需 1 秒钟。

银河系有 4 条旋臂，猎户座旋臂、人马座旋臂、3000 秒差距旋臂、英仙座旋臂，恒星和行星大多分布在旋臂上，我们的太阳就在猎户座的旋臂上面。银河系里发光发热的恒星，吸引着周围的小行星，可能有的行星也像地球一样存在着生命。

银河系里有各种各样的星云，猎户座大星云、猫眼星云、三叶星云……有的星云发光，有的星云自己不发光，它们靠近亮星，在银河系里展现着美丽。

银河系内也发现了许多的疏散星团和球状星团，这些疏散星团分布的位置大多在银河系的旋臂上，里面多是新生的恒星。球状星团大多分布在银河系的银晕中，里面多是一些年老的恒星。

银河系中还有很多的暗物质，虽然暗物质是看不见的，但人们猜测正是暗物质的存在让银河系有条不紊地运转。银河系中还有一些黑洞，这些黑洞能够吃掉一切东西，连光都逃不了，所以谁也不知道进入黑洞后会发生什么。

漫游太阳系

太阳系是一个受太阳引力作用而聚集的系统，八大行星围绕着太阳旋转。太阳的巨大能量照亮了整个太阳系，当太阳的生命走到尽头，太阳系将陷入一片黑暗。

土星

天王星

海王星

木星

③ 土星有着数量众多的卫星，在很宽广的范围内沿各自的轨道环绕土星运行。土星是淡黄色的，它有一个巨大的光环，由一些冰冻的岩块组成。

② 然后是天王星，它有一个暗淡的行星环系统，还有着奇特的运转姿势，几乎横躺着围绕太阳公转，和其他的行星不一样，像一个躺在地上的熊孩子。

① 太阳系外围，一颗比较明显的行星就是海王星，它是一颗蓝色的星球，是距离太阳最远的行星。它的表面温度很低，能达到零下 200℃。

⑤ 火星与地球相邻，火星上布满一种叫氧化铁的物质，所以它的表面呈现出漂亮的红色。

火星

地球

最后到达太阳身边，太阳系的中心就是太阳。它又大又炙热，像一个巨大的磁铁，吸引着周围的物体，表面常常掀起风暴。

水星

⑧ 穿过表面温度超过400℃的金星，就是离太阳最近的行星——水星。去水星的探测器要十分小心，因为一不小心就会被吸进太阳的火海里。

⑥ 地球，是我们赖以生存的家园，从太空中看，地球蓝绿相间，有着蓬勃的生命力。地球也是目前我们唯一知道有生命存在的星球。月球是地球的卫星，距离我们非常近，所以在地球上看，它几乎和太阳一样大。

金星

太阳系里有很多的宇宙陨石，它们是太阳系在几十亿年前的宇宙爆炸中产生或被彗星撞击留下的。

④ 木星是太阳系中体积最大的行星。木星的质量约为太阳系中其他七大行星质量总和的2.5倍。它是一个气体行星，表面是旋涡状的气体，也有一个多达79颗卫星的卫星带。

⑦ 金星是离地球最近的行星之一，因为其质量与地球类似，有时也被人们叫做地球的"姐妹星"。

做一个 "太阳系"

前面我们漫游了太阳系，了解到太阳系有八大行星，每个行星的颜色都不一样，并且都十分漂亮。让我们来自制一个 "太阳系"，感受宇宙的美妙吧。

1 准备 "行星" 和 "太阳"，用毛笔给泡沫球依次上色，如太阳是橙黄色的，水星是灰褐色的，金星是金色的，地球是蓝绿色的，火星是红褐色的，木星是褐白相间的，土星是浅棕色的并带环，海王星是蓝偏绿色的，天王星是蓝色的。

2 把泡沫球放好晾干，然后用胶将细线粘在泡沫球上。

 准备材料：废弃的快递盒或者其他纸盒子、
8 个大小不一的泡沫球、颜料、调色盘、毛笔、
细绳、双面胶或者强力胶。

3 　将盒子裁掉一个面，里面涂上星空一样
的蓝色。

4 　拿出粘住泡沫球的细线，把细线另一边
粘在纸盒上，"太阳系"就做好了。

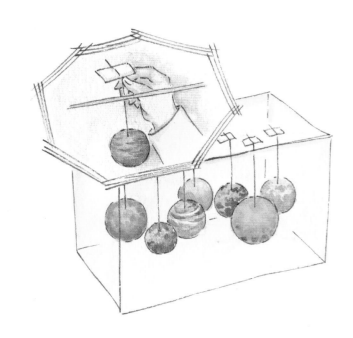